ATLANTIS

AN CHATHAIR A BÁDH

CHRISTINA BALIT
a chóirigh agus a mhaisigh

Gabriel Rosenstock
a d'aistrigh go Gaeilge

AN GÚM
Baile Átha Cliath

I dtús ama bhí an t-anord ann, gan ord ná eagar ar an gcruinne. Ach le himeacht na n-aoiseanna tháinig ann do Neamh agus Talamh. Agus ar ball, tháinig cine na dTíotán chun cinn. Beirt as a measc, Cronas agus Ré, a ghabh ceannas agus a chuir an domhan go léir faoina smacht. Mac leo, Séas, a chuir dá gcois iad. Roinn seisean agus a dhearthaireacha an domhan eatarthu: tugadh ríocht Neimhe do Shéas, agus ríocht na marbh do Dhíos, leagadh cúram na bhfarraigí is na n-aigéan ar Phoiséadón agus gheall seisean aire mhaith a thabhairt do na huiscí go léir.

AR SNÁMH ar mhuir de mhara Phoiséadóin bhí oileán creagach. Is beag duine a thug cuairt riamh air. Níor bacadh le hainm a chur air. Mar sin féin, bheannaíodh grian na maidine dó agus grian an tráthnóna.

BHÍ SLIABH i lár an oileáin. Ag bun an tsléibhe sin bhí cónaí ar fhear darbh ainm Eiveanóir agus a bhean chéile, Leoicipé. Bhí siad sona sásta le chéile. Shaothraigh siad an talamh bocht agus mhúin siad dá n-iníon, Cléató, meas a bheith aici ar gach ní beo.

D'éirigh Poiséadón fiosrach. Beo bocht a bhí siad ach fós bhí siad sona. Conas sin? Ghabh sé cruth daonna agus chuaigh i bhfolach laistiar de charraig chun fios fátha an scéil a fháil.

Thagadh Cléató álainn na gcos nocht go dtí an sruthán gach maidin ag breacadh an lae chun a pota uisce a líonadh.

R FHEICEÁIL CHLÉATÓ na
háilleachta dó, bhog croí an dé
léi agus lá amháin chuaigh sé chun
cainte léi. De réir a chéile thit sí i
ngrá leis agus sa deireadh thoiligh sí
a bheith mar bhean aige. Bhí a
tuismitheoirí sásta agus thug siad a
mbeannacht di. Ní raibh a fhios acu,
ar ndóigh, gur dia ba ea é agus ní
raibh ach gnáthbhainis acu.

Ní féidir dia a choinneáil faoi
cheilt, áfach. Tar éis na bainise,
b'iúd aníos as an bhfarraige slua de
neacha neamhshaolta agus iad ag
canadh. Ghabh Poiséadón a chruth
diaga arís. Gheall sé an t-oileán a
atógáil ó bhonn le go mbeadh sé
oiriúnach dó féin agus dá bhanríon.

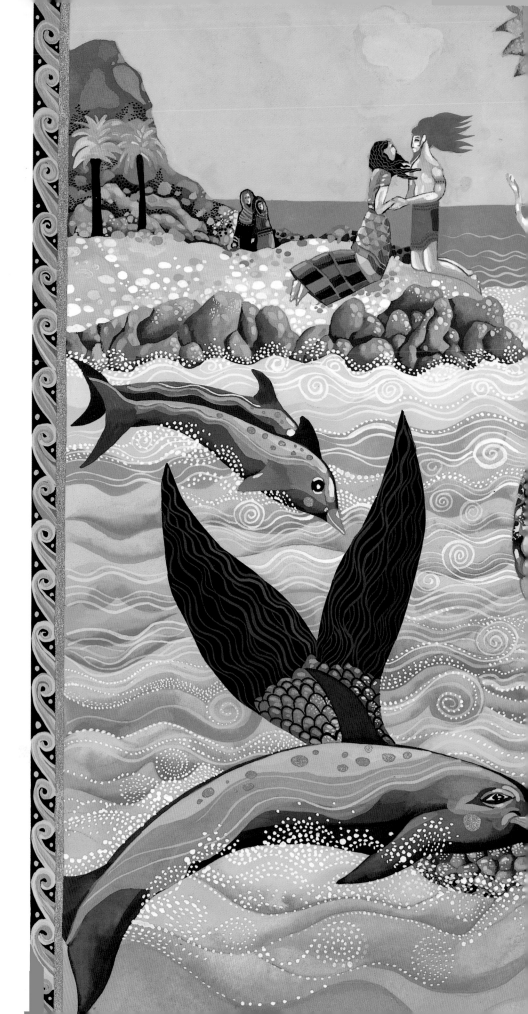

HAIN POISÉADÓN feidhm as a chumhachtaí osnádúrtha agus d'iompaigh an t-oileán ina pharthas ar talamh.

I dtosach báire shocraigh sé gach re fáinne de sháile agus de thalamh – dhá fháinne talún agus trí fháinne sáile – mórthimpeall an tsléibhe. D'fhás foraois laistigh de gach fáinne talún. Bhláthaigh na crainn agus ba throm líonmhar a gcuid torthaí. Chuaigh ainmhithe i líonmhaireacht, go háirithe an eilifint mhór.

Is é an chéad rud eile a chruthaigh sé ná líonra canálacha agus easanna ag coinneáil uisce leo. Ba ghearr go raibh an t-oileán ag cur dhá bharr de in aghaidh na bliana, barr acu uiscithe ag báisteach an gheimhridh agus an barr eile ag na canálacha. Clúdaíodh an ithir mhéith le luibheanna den uile chineál agus d'fhás fréamhacha leighis ar fud an bhaill. Fuarthas copar rua fíorluachmhar faoin sliabh. Bhí rath agus séan ar an oileán beannaithe.

FAOI THREOIR Phoiséadóin Fansin, thóg muintir an oileáin pálás nár mhasla do dhia ar bith é: ba bhán iad na túir, bhí na geataí is na huchtbharra maisithe le cloch dhaite, agus an t-iomlán feistithe le prás lonrach agus stán. I lár an oileáin, thóg siad teampall beannaithe ar a raibh stuaiceanna airgid agus ballaí óir agus thiomnaigh siad é do Phoiséadón agus dá bhean Cléató. Thóg siad tithe folctha teirmeacha, uiscerianta – agus ráschúrsa ollmhór fiú amháin.

BHÍ AN LÁNÚIN RÍOGA, Poiséadón agus Cléató, sona sásta agus i gceann na haimsire saolaíodh deichniúr mac do Chléató, cúig phéire de chúplaí. Atlas a thug siad ar an gcéad mhac. An samhradh a bhí sé bliain is fiche, corónaíodh ina ardrí é agus tugadh an t-ainm Atlantis ar an oileán ina onóir.

Ansin roinn Poiséadón an t-oileán ina dheich gcuid agus fuair gach mac an deichiú cuid de.

 D'FHONN bonn slán a chur faoin tsíocháin, leag Poiséadón an dlí síos agus greanadh na dlíthe ar cholún sa teampall. De réir phríomhdhlí an oileáin bhí cosc ar airm throda – agus mallacht na ndéithe tuillte ag aon duine a dhéanfadh dochar dá chomharsa. Gach cúig bliana, shuíodh Atlas agus an naonúr prionsaí faoin gcolún chun an pobal a mheas de réir Dhlíthe Phoiséadóin. D'éirigh muintir an oileáin stuama suáilceach séimh. Mhair siad go suairc síochánta mar ba thoil leis an Dúileamh iad a bheith.

BHÍ RATH ar Atlantis. Bhí rath ar chúrsaí trádála. Bhíodh dugaí an oileáin lán long is earraí agus laistiar díobh bhí teach solais ard a threoraíodh na báid chun cuain istoíche agus lastaí á n-iompar acu ó chian is ó chóngar.

Tógadh droichid agus tógadh canáil faoi thalamh leis na fáinní talún faoi bhun an tsléibhe a nascadh le chéile. Bhí an saol ar a mian ag muintir Atlantis.

Chonaic Poiséadón an uile ní is bhí sé sásta. Bhí sé chomh sásta sin go ndeachaigh sé ar ais go dtí a bhaile féin ar thóin na mara agus chuaigh a chodladh.

D'IMIGH lear mór blianta thart. D'athraigh an saol in Atlantis.

Cuimhnigh gur de shliocht dé iad na prionsaí: ach bhí an dia sin anois faoi shuan. Beagán ar bheagán, chuaigh an chuid dhiaga dá nádúr i léig agus d'éirigh siad níos daonna, níos laige. Thosaigh siad ag argóint agus ag achrann. Mheath an suáilceas iontu agus ina áit tháinig an t-olc agus an tsaint.

Ar feadh na gcianta bhí sráideanna Atlantis sábháilte ach níorbh amhlaidh a thuilleadh. Rinne an bhréag, an ghadaíocht agus an feall contúirteach iad.

 LÁ DE NA LAETHANTA SIN, d'fhéach Séas – dia na ndéithe uile, a fheidhmíonn dlí an Dúilimh – d'fhéach sé síos ó Neamh ar an oileán. Chonaic sé go raibh ballaí na cathrach i riocht titim, an teampall folamh, agus rud ba mheasa fós, na daoine ag troid le chéile. Lig sé liú millteanach feirge as.

Dhúisigh an liú sin Poiséadón. Aníos leis go huachtar na farraige. D'fhéach dia na mara ar an ríocht úd a chruthaigh sé féin agus a bhí uair gan smál, agus bhris a ghol air.

Bhí mallacht na ndéithe tuillte ag muintir Atlantis! Cad eile a d'fhéadfadh sé a dhéanamh ach an t-oileán a scriosadh.

D'ARDAIGH SÉ a thrírinn gur chuir tonnta na farraige ag coipeadh chun na spéartha. Chualathas búir na dtonnta dhá mhíle míle ón áit agus chroith an domhan le barr uamhain. D'ionsaigh na tonnta mire an t-oileán agus thit luaithreach te is báisteach nimhe air ón spéir.

Mhair an t-uafás lá agus oíche. Nuair a bhí sé thart bhí Atlantis slogtha ag an bhfarraige fhraochta.

Ciúnas faoi dheireadh.
Shocraigh an cathairoileán ar
ghrinneall na mara.

Mhair muintir na cathrach i
gcónaí ach níor labhair siad níos mó
ná níor throid siad le chéile ón lá sin
amach. Ní raibh ór ná airgead anois
acu. Ciúnas fuar na farraige amháin
a bhí acu. I ndeireadh thiar ní raibh
iontu ach neacha eile de chuid na
mara.

Ach cá bhfuil Atlantis, an
cathairoileán, anois? Cén mhuir atá
os a chionn? An ann dó i gcónaí? An
dtiocfar air go deo?

Níl a fhios agam. Agus seans
maith nach bhfuil a fhios ag aon
duine eile ach oiread, mar níl anseo
ach scéal scéil a chuala mé ó
sheanchaí fíoraosta tamall maith de
bhlianta ó shin . . .

ARBH ANN RIAMH D'ATLANTIS?

Is iomaí suíomh a luaitear le hAtlantis. Siar ar fad i lár an Atlantaigh a bhí sé, más fíor do sheanscéalta na Gréige. Tar éis an tsaoil nár ainmníodh as Atlas, mac Chléató, é. Maítear gur scaip muintir Atlantis gur lonnaigh san Eoraip, san Afraic agus san Oileán Úr féin.

Measann daoine áirithe gurbh ann don Tír Tairngire seo díreach mar a chuir Platón síos uirthi agus go bhfuil iarsmaí di fágtha. Tá pirimidí san Éigipt. Tá pirimidí i Meicsiceo. An iad muintir Atlantis a thóg iad? An bhféadfadh Atlantis a bheith leath slí idir an dá thír sin?

Is dóigh le daoine eile gur chóngaraí do Mheiriceá é. D'inis dúchasaigh na nIndiacha Thiar do na luath-thaiscéalaithe gurbh aon mhórchríoch amháin a bhí sna hoileáin sin tráth, nó gur tharla matalang a scaip ina hoileánrach í.

Is diamhair an cur síos a fhaighimid ón bhfealsamh Gréagach, Próclas, a mhair sa 5ú haois, duine a bhí ag iarraidh a chur abhaile ar a chuid léitheoirí gurbh ann d'Atlantis. Ba dhóigh leat air go raibh seanchas na nIndiacha Thiar cloiste aige.

Agus deirtear go bhfuil cathair bháite amach ó chósta Chorn na Breataine. Nó an cóngaraí don bhaile é? Nach raibh trácht ag Peig Sayers ar Í Bhreasail!

An teoiric is mó a bhfuil dealramh léi ná gurb í an Chréit a bhí i gceist. Ar na hoileáin a bhí faoi cheannas na Créite bhí Téara, oileán beag a scriosadh le maidhm thalún sa bhliain 1450 R.Ch. Scrios an mhaidhm chéanna cuid den Chréit féin.

Nó an é nach bhfuil ann ach miotas a thugann foláireamh dúinn troid agus achrann a sheachaint agus gan ródhúil a chur sa chumhacht? Cad is dóigh leat féin?

Geoffrey Ashe